RATUS POCHE

COLLECTION DIRIGÉE PAR JEANINE ET JEAN GUION

L'homme au masque de loup

 ISSN 1259 4652, ISBN 2-218 72547-9

L'homme au masque de loup

Une histoire d'Olivier Daniel
illustrée par François Foyard

HATIER

M. Sorge

Les personnages de l'histoire

Pour David

1

Baptiste Loiseau faisait du vélo devant la maison de ses parents. Il n'avait pas le droit de dépasser l'angle de la rue, sous peine de s'attirer les foudres de son père. Aussi s'amusait-il à faire le tour d'une petite place baptisée place André-Breton, en fredonnant une chanson des *Up to day*, son groupe préféré.

C'était la fin d'une journée de printemps. Bientôt ce seraient les fêtes de Pâques. Baptiste aurait un œuf en chocolat et le dernier CD des *Up to day*. Clara, sa sœur aînée, n'aimait guère ces chanteurs. Elle les jugeait ringards. Pour elle, seuls les *Scarfaces* comptaient. Les *Scarfaces*… Baptiste fit la grimace et évita de justesse un chat qui sortait d'on ne sait où. Puis il voulut battre son record du nombre de tours de la place André-Breton.

C'est alors que sa mère apparut. Elle se tenait devant la maison, son nouveau sac à la main. C'était un splendide sac marron que ses enfants et son mari lui avaient offert, la veille, pour son anniversaire.

– Baptiste ! cria-t-elle. Je vais faire les courses ! Tu as les clés ?

Il ne les avait pas et se mit à pédaler mollement vers Mme Loiseau. Il avait peur qu'elle lui demande s'il avait terminé ses devoirs. Les avait-il vraiment terminés ?... Il lui restait à revoir le règne de Louis XIV.

– Dépêche-toi ! reprit sa mère en agitant son sac.

Soudain un homme surgit, sur une moto, portant un casque intégral et vêtu d'une combinaison de cuir. On aurait dit un cosmonaute, ou un extraterrestre. Il s'approcha de Mme Loiseau, lui arracha son sac, prit la fuite par la rue où se trouvait Baptiste. Ce dernier le vit passer à moins d'un mètre de lui. Mme Loiseau gesticulait sans parvenir à prononcer le moindre mot. Baptiste se retourna et regarda l'homme s'éloigner, avec le cadeau de sa mère, un cadeau pour lequel il avait longtemps économisé.

– Au secours ! fit Mme Loiseau d'une voix tremblotante.

Le voleur venait de quitter la petite place. Baptiste commença à pédaler pour le rattraper. Et tout en pédalant, il pensait à ce sac dont sa mère avait tant rêvé. Personne n'avait le droit de le lui prendre de force. Il pédala de plus en plus vite, arc-bouté sur sa machine, comme les coureurs du Tour de France.

Bientôt il s'engagea sur une avenue bordée de platanes. Loin devant lui, le casque du voleur brillait sous le soleil. Il pédala encore plus vite, les dents serrées. Les muscles de ses jambes ne tardèrent pas à le brûler. Une crampe gagna son mollet gauche. Mais maintenant qu'il était lancé, plus rien ne l'arrêterait.

Pourtant, au bout de l'avenue, l'homme avait disparu. Baptiste, essoufflé, s'arrêta. Il était devant le fleuve qui sépare la ville en deux. Des embarcations de tailles différentes stationnaient le long d'un grand quai. Près de l'une d'elles, la moto du voleur… Baptiste posa sa bicyclette sur l'herbe, se cacha derrière un arbre et attendit.

Peu après, il vit l'homme sortir en courant de son bateau, toujours coiffé de son casque, mais sans le sac. Le motard reprit son engin, s'éloigna

Où va le voleur après avoir pris le sac de Mme Loiseau ?

rapidement, fut bientôt hors de vue. Alors Baptiste eut une idée : il allait reprendre le sac et le ramener chez lui. Aussitôt, il s'imagina raconter son exploit à sa famille. Clara, qui avait peur de son ombre, en aurait le souffle coupé. Sa mère le couvrirait de baisers. Son père serait très fier de lui.

Mais, pour reprendre le sac, il fallait tout d'abord monter sur le bateau ; et pas sur n'importe quel bateau : le bateau d'un voleur… Baptiste serra les dents, se mit à frissonner. Jamais il n'oserait courir un tel risque. Quoique le risque l'attirait… Il regarda autour de lui, ne vit personne dans les parages, pensa que s'il se dépêchait… Il ne resterait pas longtemps, trente secondes, pas plus. Sa mère serait si heureuse de retrouver son sac.

Il inspira profondément, marcha vers le bateau, monta sur une passerelle, s'arrêta tout à coup à un mètre seulement du pont. N'était-ce pas de la folie que de se jeter ainsi dans la gueule du loup ?… Il était près du but. Et il perdait un temps précieux. Pourquoi s'était-il arrêté ?…

– Trente secondes, pas plus, se répéta-t-il à mi-voix, comme pour se donner du courage.

Enfin il posa le pied sur le bateau du voleur. Puis, sans bruit, tel un chat, il poussa la porte à double battant qui menait à la cabine. Son cœur tambourinait jusque dans ses oreilles. D'énormes gouttes de sueur ruisselaient sur son front.

Il descendit trois petites marches, découvrit une pièce meublée d'une table, de deux chaises et d'une commode située tout près d'un coin cuisine. Il y avait aussi des placards, suspendus le long des cloisons. Baptiste comptait dans sa tête, tout en regardant partout. Cinq secondes venaient de s'écouler. Le sac n'était pas là.

Il s'approcha de la commode, ouvrit l'un de ses tiroirs, remua des pulls, des tee-shirts, des chemises et des chaussettes. Le second tiroir refusa de s'ouvrir, de même que le troisième. Baptiste était en nage. Sans cesse, il se retournait pour voir si on ne venait pas. Chaque craquement l'effrayait. Chaque seconde qui passait augmentait son angoisse.

Soudain il trébucha et s'étala de tout son long. Il se fit mal au dos, crut qu'il ne pourrait pas se relever. S'il ne se relevait pas… Il ferma les yeux, les rouvrit. Avait-il entendu des pas ? Il se releva d'un bond, réalisa avec effroi qu'il ne comptait plus les secondes. Avait-il encore le temps de fouiller dans les placards ? Il n'en ouvrirait qu'un. Ensuite il partirait. Mais comme il s'apprêtait à grimper sur une chaise, il entendit le moteur de la moto du voleur. Son sang se glaça dans ses veines. Ses jambes menacèrent de plier. Et maintenant l'homme montait sa moto sur le bateau. Que faire désormais ? Pleurer ? Crier ? Se jeter à l'eau ?

2

Baptiste fonça vers un hublot et essaya de l'ouvrir. Mais il eut beau tirer, secouer et grimacer, le hublot ne s'ouvrit pas. Alors le bateau démarra dans un fracas assourdissant. Baptiste lâcha prise, resta les bras ballants. Il se sentait perdu, plus seul que jamais. Mais il n'était pas seul. Le voleur allait venir. Vivait-il un cauchemar ? Non, il ne rêvait pas. Dans moins de deux minutes, un homme le capturerait. Lui brûlerait-on la plante des pieds pour l'obliger à s'expliquer ? Baptiste faillit hurler, mit sa main devant sa bouche, remarqua une porte qu'il n'avait pas vue jusque-là. Qu'y avait-il derrière ? Une salle de torture ? Un autre hublot qu'il pourrait ouvrir facilement ?

« Il faut que j'aille voir », se dit-il.

Et il poussa la porte. Elle donnait sur une chambre. Il contourna le lit pour atteindre le hublot. Mais celui-ci était trop petit pour lui permettre de fuir. Alors Baptiste réalisa qu'il était dans une prison, la plus terrible des prisons : une prison flottante d'où l'on ne s'échappait pas. Il s'effondra sur le lit, abattu, prêt à se rendre. Mais aussitôt après, il fut pris de terreur en imaginant que le voleur rentrait tout à coup dans la chambre. Où se cacher ? Sous le lit ? Il se faufila sous le matelas, resta là, immobile, malgré une envie de vomir qui bientôt s'empara de lui.

Quand la nausée lui laissa un peu de répit, il essaya de réfléchir. Maintenant, sa mère avait dû prévenir la police. On retrouverait son vélo, derrière l'arbre, près du quai. On le chercherait dans le fleuve. Penserait-on que le voleur l'avait enlevé ?

Qui donc était cet homme ? Un dangereux repris de justice évadé de prison après une prise d'otages ?

Baptiste n'avait même pas vu son visage. Il n'entendait que le bruit de ses pas qui allaient et venaient sur le pont.

Soudain Baptiste se raidit. L'homme venait de descendre dans la cabine. Se doutait-il de quelque chose ? Trouverait-il que les chaises n'étaient pas à leur place ? Verrait-il qu'on avait fouillé dans sa commode ? Baptiste était aux aguets. Dans la pièce voisine, les bottes du voleur faisaient plus de bruit que le moteur du bateau. Allait-il entrer dans la chambre ? Baptiste avait si peur de bouger, de tousser, d'éternuer. Et cette envie de vomir qui revenait sans cesse, au risque de l'obliger à trahir sa présence…

La porte s'ouvrit brusquement. Le voleur, en trois pas, fut tout près de son lit sur lequel il s'assit pour enlever ses bottes. Baptiste, figé, coincé, peinait pour respirer, comprimé comme une sardine dans sa boîte. Avec le poids de l'homme, le matelas lui rentrait dans le ventre. Combien de temps pourrait-il tenir ?

Par chance, le voleur s'en alla aussi vite qu'il était venu. Baptiste poussa un gros soupir de soulagement. À une minute près, il aurait dû s'extraire de sa cachette. D'ailleurs, ce n'était pas une bonne cachette. S'il restait là et si l'homme se couchait, il serait perdu.

Il sortit de sous le lit, regarda autour de lui, vit un meuble en bois blanc fixé à la cloison par des rivets en fer. Le meuble avait deux portes. Il les ouvrit doucement. Elles grincèrent aussitôt. Baptiste ne bougea plus, tendit l'oreille. Mais il n'entendit que le bruit du moteur du bateau. Maintenant que le voleur avait enlevé ses bottes, il était bien plus difficile à localiser.

« Tant pis », se dit Baptiste en ouvrant d'un coup sec les deux portes du meuble.

Il découvrit des vestes d'homme suspendues à des cintres, les écarta d'un geste, s'installa dans le meuble, prit soin de refermer les portes derrière lui. À présent, il disposait de plus de place que sous le lit. Mais cela ne suffisait pas à dissiper l'angoisse qui tenaillait son cœur. Que faisaient ses parents ? L'avait-on oublié ? Vers où voguait le bateau-prison dans lequel il se trouvait ?

3

Pendant un instant, Baptiste imagina qu'on le débarquerait sur une île déserte peuplée de bêtes sauvages. Il se vit monter sur un arbre et fixer l'océan des semaines entières, avec l'espoir d'apercevoir peut-être enfin la coque d'un navire. Ce serait terrible… Baptiste secoua la tête, comme pour chasser les mauvaises idées qu'il venait d'avoir. Il ne devait pas rester ainsi, immobile, à attendre que le voleur lui mette la main dessus.

Pour commencer, il allait fouiller dans les poches de ses vestes. Peut-être saurait-il enfin à qui il avait affaire… Il sortit du meuble, choisit une veste bleue, n'y trouva pas de papiers, alla coller son oreille contre la porte de la chambre pour s'assurer que l'homme n'était pas dans la cabine voisine. De retour près du meuble, il trouva dans les poches d'une veste beige un portefeuille de cuir noir, qui contenait une carte d'identité. Elle appartenait à un certain Alexandre

Daume, né le 13 juin 1940, à Lisieux. Malheureusement, la photographie qui accompagnait ce document avait été arrachée.

Tout à coup le bateau s'arrêta, et dans le silence qui suivit l'arrêt du moteur, Baptiste laissa tomber le portefeuille. Il le ramassa prestement, regagna l'intérieur du meuble dont [5] il referma les portes à la va-vite, sans se soucier de les faire grincer. À nouveau des gouttes de sueur ruisselaient sur son front. Le moment fatidique approchait. [6]

De fait, il entendit bientôt l'homme marcher dans la cabine voisine. Tous ses sens étaient en alerte. Il s'attendait au pire et ne savait pas trop comment s'y préparer. S'il avait un couteau ou un morceau de bois pour se défendre... Mais un petit garçon de neuf ans pouvait-il raisonnablement espérer triompher d'un voleur expérimenté ?

La porte de la chambre s'ouvrit soudain et l'homme vint s'allonger sur son lit. Baptiste était à sa merci. [7] Et il avait si mal au ventre que l'envie d'aller aux toilettes le saisit. Il en avait les larmes aux yeux. À vrai dire, il était à bout de forces et à bout de courage. Quel espoir lui

Que fait Baptiste quand le bateau s'arrête ?

restait-il de retrouver sa famille et ses amis ?

C'est alors qu'il réalisa que le voleur s'était endormi. Il entendait distinctement sa respiration régulière. Et s'il profitait de son sommeil pour s'enfuir du bateau ?

En se penchant un peu en avant, Baptiste vit, par l'entrebâillement des portes du meuble, les jambes du voleur : il n'avait pas ôté sa combinaison de cuir. Quelle tête pouvait bien avoir cet Alexandre Daume ? Baptiste, chez qui la curiosité finissait toujours pas l'emporter sur les autres sentiments, se risqua à écarter davantage les portes. Elles grincèrent, de sorte que l'homme bougea sur son lit. Baptiste, tremblotant, attendit un instant avant de renouveler l'expérience. Mais cette fois-ci, il poussa les portes d'un geste brusque, seul moyen pour qu'elles restent silencieuses.

Il manqua de s'étrangler en découvrant le visage d'une jeune femme aux cheveux roux, couchée sur le dos. Ses paupières étaient closes mais agitées de soubresauts. Près de sa main gauche, un revolver.

Ainsi donc le voleur était une voleuse… et une criminelle. Sans quoi, pourquoi aurait-elle une arme avec elle ? Baptiste se mordit les lèvres. Il ne s'attendait pas à cela. Et à quoi désormais pouvait-il s'attendre d'une femme armée, sûrement plus cruelle que le voleur qu'il avait imaginé ? Il lui fallait partir tout de suite. C'était son unique chance.

Il sortit du meuble avec une prudence extrême, contrôlant chacun de ses mouvements, sans quitter la jeune femme des yeux, guettant le moindre de ses battements de cils. Lorsqu'il fut près du lit, il pensa, l'espace d'une seconde, à s'emparer du revolver pour en menacer la voleuse. Mais c'était trop risqué. Mieux valait s'éloigner sans bruit. Et il marcha à reculons vers la porte de la chambre, en retenant sa respiration, tous ses muscles contractés. La manœuvre lui parut interminable. Il avait peur de trébucher et de tomber.

Enfin il crut sentir dans son dos le bois de la porte. Allait-elle grincer elle aussi ? Il serra les poings, prit un peu d'élan, recula violemment et comprit – hélas trop tard – qu'il n'était pas contre la porte, mais contre la cloison.

Réveillée par le choc qui venait de retentir, la jeune femme se redressa d'un bond et le regarda. Sa main gauche chercha le revolver. Baptiste, horrifié, poussa un cri, se retourna vers la porte, traversa la cabine comme une flèche, monta sur le pont du bateau et sauta sur la berge. La nuit était tombée. Des lumières brillaient non loin de là. Était-ce une ville ?

– Arrête ! hurla la jeune femme en s'élançant à sa poursuite.

Baptiste courut à travers une petite forêt. Derrière lui, la voleuse se rapprochait. Allait-elle tirer ? Il courut plus vite encore. Mais soudain il ne vit plus les lumières. Il se sentit perdu. Il n'avait plus de jambes, plus de souffle. Et c'est à cet instant qu'il heurta une racine et s'étala de tout son long. Il voulut se relever. Mais un poids s'abattit sur lui. La voleuse l'avait rattrapé.

4

Clara Loiseau se tourna et se retourna dans son lit. Comment voulait-on qu'elle s'endorme alors que son frère était prisonnier d'un voleur ? À moins que les pompiers ne repêchent Baptiste au fond du fleuve…

Si on le retrouvait vivant, elle lui offrirait la collection complète des CD des *Up To Day*. Elle en fit le serment, les larmes aux yeux. Puis elle finit par se lever, gagna la fenêtre de sa chambre, vit son père qui raccompagnait deux policiers vers leur voiture. Mme Loiseau, effondrée, était dans sa chambre. Le docteur lui avait donné des médicaments pour qu'elle se repose un peu.

Il était minuit. Clara retourna dans son lit, sortit de sous son oreiller une photographie de Baptiste, la regarda à l'aide d'une lampe électrique.

Maintenant elle se reprochait de ne pas avoir été toujours gentille avec lui. Bien sûr, il s'était souvent montré irritant. Mais si on le retrouvait vivant, elle l'autoriserait à rentrer dans sa chambre sans frapper, à toucher à sa collection d'échantillons de parfums. Elle l'aiderait dans ses devoirs, lui achèterait des perroquets, des grenouilles d'Amérique du Sud, des salamandres multicolores. Il adorait les animaux. Elle s'y intéresserait. Et c'est ainsi qu'elle s'endormit, les doigts recroquevillés sur la photographie de son frère.

Par instants, elle se réveillait, se dressait dans son lit. Elle croyait entendre des bruits. Elle espérait tant revoir Baptiste. Dire qu'il avait risqué sa vie pour un sac ! Qu'aurait-elle fait à sa place ? Une nouvelle fois Clara sombra dans le sommeil.

Plus tard encore, un cauchemar la fit sursauter : Baptiste était enfermé dans une cave. Il avait faim et soif et il appelait au secours… Clara était en nage. Si par malheur quelqu'un faisait du mal à son frère… Soudain elle se redressa. Elle venait de percevoir des pas, dans le grenier, au-dessus de sa chambre. Qui pouvait se trouver là-haut, en pleine nuit ? Des rats ? Dans ce cas, elle ne resterait pas une minute de plus dans cette maison.

Elle prit sa lampe électrique, quitta son lit, entendit à nouveau des pas… Les rats avaient-ils des chaussures ? Clara, paralysée, ne savait plus que penser. Se pouvait-il que son petit frère soit en ce moment dans le grenier ? Il avait l'habitude de s'y réfugier quand il avait des ennuis. Pour atteindre cet endroit, en venant de la rue, il montait simplement sur le toit du garage. Ensuite, il n'avait plus qu'à pousser l'œil-de-bœuf…

Clara se gratta la nuque. Si Baptiste avait des ennuis, elle devait monter le rejoindre. Lui le ferait, elle le connaissait. Mais elle se connaissait aussi. Elle avait peur de tout : de la nuit, des chiens, des rats… Non, elle ne monterait pas. Et cependant, sans s'en rendre compte, elle était sortie de sa chambre et se trouvait maintenant sur le palier au bout duquel un escalier pentu menait à la trappe du grenier.

– Baptiste, murmura-t-elle. C'est toi ? Qu'est-ce que tu fais ?

Il ne pouvait pas l'entendre de là. Elle devait se rapprocher. Elle avança de trois pas. Des ombres menaçantes paraissaient bouger autour d'elle.

– Baptiste, répéta-t-elle un peu plus fort, tu es blessé ? Réponds !

Cette fois-ci, elle l'aurait juré, elle avait entendu sa voix. Elle monta sur la première marche de l'escalier du grenier, le faisceau lumineux de sa lampe électrique dirigé vers la trappe. Jamais elle n'avait eu aussi peur. Pourtant elle continua son ascension, en se cramponnant à la rampe d'une main tremblotante.

Bientôt elle fut à quelques centimètres de la trappe. Un geste lui suffisait pour l'ouvrir. Mais elle ne bougea pas. Qu'attendait-elle ? Ne ferait-elle pas mieux d'aller voir son père ? Voilà sans doute par quoi elle aurait dû commencer. Mais s'il n'y avait personne dans le grenier... À quoi bon donner un faux espoir à ses parents ? Baptiste n'était sûrement pas là-haut.

Clara tendit l'oreille, n'entendit aucun bruit, en conclut qu'elle avait rêvé. Et pour s'en assurer, elle poussa doucement la trappe à l'aide de sa lampe électrique. Alors une main l'attrapa et l'attira vers le grenier. Ce n'était pas la main de Baptiste. Clara le sut tout de suite. Mais lorsqu'elle voulut crier, une autre main se colla sur sa bouche.

Que voit Clara en ouvrant la trappe du grenier ?

La lampe électrique roula sur le plancher et s'immobilisa contre une vieille malle en bois, éclairant des chaussures que Clara reconnut aussitôt. Elle sentit son cœur bondir dans sa poitrine. Puis soudain les chaussures disparurent. Quelqu'un ramassa la lampe…

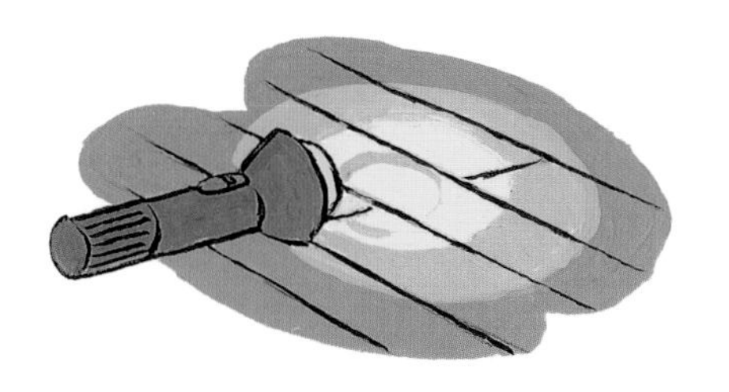

5

Le visage de Baptiste apparut, souriant. Clara, les yeux écarquillés, mordit la main qui la bâillonnait et courut vers son frère qu'elle serra fort contre elle.

– Surtout ne fais pas de bruit, murmura-t-il dans son cou. Je vais tout te raconter…

Clara resta encore un instant immobile, tout à sa joie de revoir Baptiste. Mais un souffle, dans son dos, lui rappela qu'ils n'étaient pas seuls. Elle s'écarta lentement de son frère et se retourna. Elle découvrit alors une jeune femme aux cheveux roux, vêtue d'une combinaison de cuir.

– Tu m'as fait drôlement mal, dit à mi-voix la jeune femme.

Et elle souffla sur sa main que Clara venait de mordre. Baptiste poussa sa sœur sur un vieux matelas et lui ordonna de s'asseoir. Il ne semblait pas blessé, ni même traumatisé. Clara, impatiente de savoir ce qui lui était arrivé, lui fit signe de parler.

– C'est Nathalie qui a volé le sac de maman, commença-t-il en montrant la jeune femme du doigt. Elle n'avait plus d'argent. Elle devait s'acheter un revolver pour se défendre. Elle a voulu me rendre le sac, mais quand on est revenu près du bateau, trois hommes l'attendaient. On s'est caché dans un fourré. On s'est enfui dès qu'on a pu…

Clara secoua la tête. Elle ne comprenait pas un traître mot à ce que venait de dire son frère. 10

– Des tueurs la poursuivent nuit et jour, reprit Baptiste. Elle est en danger de mort.

– En danger de mort ? répéta Clara qui se leva pour aller prévenir ses parents.

Mais son frère l'obligea à rester dans le grenier. Puis la jeune femme s'approcha d'elle, posa les mains sur ses épaules, se présenta :

– Je m'appelle Nathalie Daume.

Clara sursauta. Ce nom lui disait quelque chose. Mais où l'avait-elle entendu ?

– Je suis la fille du professeur Alexandre Daume, ajouta la jeune femme.

Le visage de Clara s'éclaira. Elle se souvenait maintenant qu'à la télévision, il y avait eu, au début de la semaine, un reportage sur Alexandre

Daume. N'était-ce pas lui qu'on avait retrouvé mort, le long d'une voie ferrée ?

La jeune femme fit oui de la tête. Ses yeux s'étaient remplis de larmes. Elle avait à présent du mal à respirer. Clara, désemparée, se tourna vers son frère. Celui-ci essayait d'allumer une petite lampe de chevet, au fond du grenier. Il y parvint après plusieurs tentatives, et tous trois se regroupèrent autour de la lampe qui diffusait une lumière jaune. Clara était impatiente d'en savoir plus sur Nathalie Daume et son père.

11

6

La jeune femme essuya ses larmes du revers de la main et raconta comment trois hommes avaient fait irruption dans la maison où elle [12] vivait avec son père. Ils portaient des masques de loups. L'un d'eux avait sorti un gros poignard pour en menacer M. Daume. Il voulait la formule.

– Quelle formule ? dit Clara.

– Mon père a découvert une substance inoffensive pour l'homme et qui le débarrasse, [13] une fois pour toutes, de l'envie de fumer des cigarettes.

– Une substance antitabac ?

– Oui. Si ses travaux aboutissent, il suffira de prendre quelques pilules et le besoin d'inhaler [14] de la nicotine disparaîtra comme par magie. Seulement... Le tabac rapporte beaucoup d'argent à certains... Voilà pourquoi on a tué mon père...

Nathalie se tut, en proie à une vive émotion.

Puis elle poursuivit son récit d'une voix si faible que Clara dut se pencher vers elle pour l'entendre.

L'homme au poignard avait donné dix secondes à M. Daume pour lui remettre la formule, dix secondes terribles que Nathalie n'oublierait jamais… Soudain le professeur avait sorti d'une de ses poches une enveloppe blanche et l'avait lancée à sa fille. Nathalie avait saisi la précieuse enveloppe et s'était enfuie par la fenêtre du salon. Dans le jardin, elle avait bondi sur sa moto, tandis que deux malfrats montaient à bord d'une voiture pour la poursuivre. Ils avaient bien failli la rattraper. Mais Nathalie avait réussi à les semer et s'était réfugiée sur le bateau de son père.

15

À nouveau, la jeune femme se tut, la gorge nouée. Clara se tourna vers Baptiste. Bien qu'il connût déjà l'histoire de Nathalie, il paraissait très ému, lui aussi. D'ailleurs ce fut d'une voix chancelante qu'il murmura à l'adresse de sa sœur :

16

– C'est moi qui lui ai proposé de venir se cacher ici.

– Mais où est la formule maintenant ? demanda Clara.

La jeune femme se leva et sortit une enveloppe de sa combinaison de cuir : elle contenait la formule du professeur Daume.

– Il faut la remettre à M. Sorge, murmura Nathalie. Mon père n'avait confiance qu'en lui.

M. Sorge habitait à l'autre extrémité de la ville, dans une splendide maison blanche, entourée de hauts murs. Il dirigeait un important laboratoire pharmaceutique. Chaque année, à Noël, il expédiait gracieusement des cargaisons de médicaments en Afrique, en Asie, en Amérique du Sud, partout dans le monde où les hommes n'avaient pas les moyens de se soigner. On l'appelait « Le bon M. Sorge ».

– Mon père n'avait confiance qu'en lui, répéta la jeune femme. Seulement je ne peux pas l'approcher. Les tueurs me guettent. Ils sont partout…

– Y a-t-il un double de la formule ? demanda Clara.

Nathalie soupira en triturant une mèche de ses cheveux roux. Son père n'avait pas encore eu le temps d'établir un double de la formule quand les bandits l'avaient agressé.

Qu'est-ce que Nathalie a caché dans sa combinaison de cuir ?

– Alors qu'est-ce qu'on peut faire ? dit Clara après un silence.

– Moi je sais, fit Baptiste : on va porter nous-mêmes la formule à M. Sorge. Les tueurs ne nous connaissent pas. Ils ne se méfieront pas de nous.

Clara, stupéfaite, regarda son frère en se demandant s'il n'était pas devenu fou.

7

Baptiste fit sa réapparition officielle une demi-heure plus tard. Il expliqua à ses parents qu'en poursuivant le voleur de sac, il s'était égaré dans une forêt. M. et Mme Loiseau se contentèrent de cette explication tellement ils étaient heureux de revoir leur fils en bonne santé. Puis ils téléphonèrent à la police, pour qu'on arrête les recherches. Un enquêteur vint recueillir le témoignage de Baptiste, qui répéta son histoire.

Pendant ce temps, Clara réfléchissait, ou plutôt elle tremblait à l'idée de rencontrer les hommes à masques de loups. Elle détestait les loups. Et elle n'aimait pas quand Baptiste courait au-devant du danger. Par sa faute, ils risqueraient peut-être leur vie… Elle marchait de long en large dans sa chambre, en se demandant si elle ne ferait pas mieux de tout raconter à ses parents. Mais elle avait promis de garder le secret. Elle s'assit sur le rebord de son lit, se prit la tête dans les mains, pensa à Nathalie qui attendait dans le grenier. Puis elle s'allongea pour se reposer un peu et s'endormit comme une masse.

Lorsqu'elle se réveilla, le repas de midi était prêt. Baptiste, attablé devant une choucroute – son plat préféré – paraissait en grande forme. Clara s'étira et s'installa à ses côtés. Mais elle n'avait pas faim et se contenta de manger un morceau de pain. Ne fallait-il pas laisser une part de choucroute pour Nathalie ?

Sa dernière bouchée de saucisse avalée, Baptiste se leva d'un bond et annonça qu'il avait envie de se promener avec sa sœur. Clara se douta aussitôt qu'il avait une idée derrière la tête. Mme Loiseau, que les événements de la veille avaient traumatisée, commença par refuser. Mais Baptiste obtenait souvent ce qu'il voulait, et l'autorisation de sortie fut bientôt accordée.

– Attention, dit M. Loiseau, vous ne vous éloignez pas, n'est-ce pas ?

Ils promirent de rester dans le quartier.

Quand ils furent à une dizaine de mètres de la maison, Baptiste sortit de sous son pull-over la précieuse enveloppe que lui avait confiée Nathalie.

– Où vas-tu avec ça ? dit Clara.

– Au golf, répondit Baptiste. Aujourd'hui c'est samedi. Et tous les samedis, M. Sorge joue au golf. Nathalie me l'a dit.

– C'est trop dangereux ! cria Clara en lui arrachant l'enveloppe des mains.

Il la reprit d'autorité et poursuivit son chemin d'un pas assuré. Clara le rejoignit bien vite et tenta de le ramener à la raison. Les tueurs surveillaient sûrement M. Sorge. Il n'avait aucune chance de pouvoir lui remettre l'enveloppe. Mieux valait la porter à la police.

– Nathalie ne veut pas, répondit-il sèchement. Elle a juré à son père de remettre la formule à M. Sorge, en mains propres.

– Mais tu ne connais pas son visage !

– Je l'ai vu à la télévision.

Il n'y avait plus rien à faire. Baptiste était déterminé à mener à bien sa mission. Clara se tut.

Dix minutes plus tard, ils arrivèrent devant le golf. Pour y pénétrer, il fallait franchir une grille gardée par un homme. Baptiste et

Clara attendirent qu'un groupe de joueurs s'approchât, détournant ainsi l'attention du gardien. Puis ils entrèrent sur le terrain de golf en catimini, et se cachèrent derrière une cabane [20] en bois.

Bientôt ils virent un homme d'une quarantaine d'années. Celui-ci s'apprêtait à expédier une petite balle blanche vers le trou numéro un.

– C'est M. Sorge, murmura Baptiste.

Un caddie l'accompagnait, tenant un chariot [21] rempli de clubs. [22]

Tout à coup M. Sorge leva le club qu'on venait de lui tendre au-dessus de son épaule droite et l'abaissa vivement pour frapper la balle ; elle s'éleva dans l'air et retomba à quelque deux cents mètres de son point de départ. M. Sorge parut satisfait et commença à marcher droit devant lui. L'homme qui l'accompagnait le débarrassa de son club et lui emboîta le pas, en tirant le chariot.

Baptiste s'élança derrière eux, avant même que Clara ne pût esquisser un geste pour le [23] retenir. Il courut de toutes ses forces, indifférent aux appels de sa sœur qui lui criait de revenir.

Pour Baptiste et Clara, qui est dangereux ?

L'enveloppe frottait contre son ventre, cette enveloppe dont le contenu allait changer la face du monde : plus de cancer du poumon, plus de dents jaunies par le tabac… Baptiste courut plus vite, conscient de l'importance de sa tâche. Il se sentit pousser des ailes, grimpa sur la butte de terre, la dévala en roulant sur lui-même et tomba nez à nez avec le caddie de M. Sorge. Ce dernier continuait de marcher vers le trou numéro un.

– Qu'est-ce que tu veux ? fit l'homme d'un ton sec.

Baptiste, abasourdi par sa chute, parla de l'enveloppe, de la formule du professeur Daume. Le visage du caddie se crispa brusquement. La cicatrice brunâtre qui courait le long de son front augmenta de volume.

– Où est l'enveloppe ? demanda-t-il soudain.

Il parlait à voix basse, surveillant M. Sorge qui lui tournait le dos. Et il tenait un couteau. Alors Baptiste réalisa qu'il en avait trop dit : l'homme à qui il venait de parler était l'un des tueurs qui poursuivaient Nathalie. Sans le quitter des yeux, le caddie fit un signe de la main dont Baptiste ne comprit pas tout de suite la signification…

24

Que faisait Clara ? Le monticule de terre l'empêchait de voir sa sœur.

Baptiste commença à paniquer, vit le couteau se rapprocher de lui. L'homme tendit un bras pour le retenir. Baptiste bondit et partit en courant.

8

Lorsque Clara arriva au sommet de la butte, elle comprit que quelque chose de grave venait d'arriver. Baptiste courait vers un petit bois, poursuivi par deux hommes. Elle regarda autour d'elle. M. Sorge s'éloignait, en compagnie de son caddie. Elle ne savait que faire. Puis, par crainte de rester seule, elle courut aussi vers le bois. Mais ses jambes étaient molles, son ventre la tiraillait. Elle faillit s'arrêter, continua cependant, en grimaçant de peur.

Baptiste s'amusait-il à lui jouer un de ces tours idiots dont il avait le secret ? Avait-il pu remettre l'enveloppe à M. Sorge ? Autant de questions sans réponses qui finirent par lui donner la migraine. Décidément, elle n'aimait pas la tournure que prenaient les événements.

Bientôt elle atteignit l'orée du petit bois. 25

– Baptiste ! cria-t-elle. Sors de là ! Dépêche-toi !

Le silence qui suivit ne fit qu'accroître son angoisse. C'est alors qu'elle crut voir le pull de son frère. Elle dépassa un premier arbre, en contourna un second, enjamba une souche. Mais ce qu'elle avait pris pour un vêtement de Baptiste n'était qu'un tas de mousse. Des ronces s'accrochèrent à elle. À présent elle saignait.

– Baptiste ! répéta-t-elle.

Elle voulut s'extraire de ces arbres aux branches menaçantes. Mais des pas, non loin d'elle, la firent sursauter. Était-ce Baptiste ? Elle se cacha derrière un tronc. Deux hommes s'approchaient d'elle. Avaient-ils un masque de loup ? Elle ferma vite les yeux. S'ils la touchaient… Elle frissonna. Et si c'étaient des loups-garous ? Clara, morte de peur, se boucha les oreilles, pour ne pas entendre les hurlements des monstres. Allait-elle être dévorée par des créatures mi-hommes mi-bêtes ? Soudain une main se posa sur elle. Elle fut sur le point de perdre connaissance.

– Clara, murmura une voix.

Elle reconnut la voix de Baptiste, ouvrit les yeux. Il lui fit signe de se taire et de la suivre. À quelques mètres de là se tenaient les deux hommes. Ils leur parurent immenses, pareils à des géants.

Baptiste se mit à ramper, sa sœur l'imita. Il avait repéré un trou dans le grillage qui entourait le terrain de golf. Derrière eux, les deux hommes s'énervaient, des menaces plein la bouche. L'un d'eux tenait un revolver noir au bout de son bras. Clara tremblait si fort qu'elle redoutait que cela ne s'entende. Tout à coup, l'un des hommes cria :

– Je les vois !

Clara se redressa pour rattraper Baptiste qui déjà s'engageait dans le trou. Et derrière elle, un bruit de course. Elle pensa à un troupeau de bisons, se jeta dans le trou la tête la première, au risque de s'écorcher le visage. Puis elle saisit la main que son frère lui tendait.

Ils coururent à en perdre haleine, longèrent une large avenue, s'engagèrent sur un boulevard. À un carrefour ils prirent à droite, vers un réseau de ruelles étroites. Ils avaient besoin de souffler et Clara avait mal aux pieds.

Ils s'assurèrent que leurs poursuivants n'étaient pas dans les parages et s'arrêtèrent devant une fontaine. Ils avaient soif, burent avidement. Alors Clara questionna son frère. Que s'était-il passé au golf ? Il se mordilla les lèvres. Il paraissait embarrassé. Clara s'approcha de lui et l'interrogea à nouveau. Et c'est d'une voix blanche qu'il avoua son erreur : il avait parlé de la formule du professeur Daume à l'un des tueurs.

– Comment ça ? dit Clara.

– Je me suis trompé, bredouilla-t-il. J'étais tombé… J'ai cru que…

– Ah, c'est malin ! Maintenant ils nous connaissent…

Baptiste baissa la tête et resta un temps silencieux. Que pouvait-il faire désormais pour réparer sa faute ?

– Donne-moi l'enveloppe, lui dit sa sœur.

Il se redressa soudain, fixa le bout de la rue ; un homme venait de descendre d'une grosse Mercedes grise.

9

Ils se cachèrent derrière la fontaine, se regardèrent, regardèrent vers le bout de la rue. L'homme et l'un de ses complices marchaient vers eux. Ils détalèrent comme des lapins, bousculant passants et poubelles. Surtout ne pas se retourner, ne pas tomber, ne pas se faire prendre.

Baptiste courait vite. Clara se mit à grimacer. Elle avait un point de côté. Son frère lui prit la main et la poussa sans ménagement vers l'entrée d'un grand magasin.

Ils se mêlèrent bientôt à la foule des clients qui se pressaient devant les rayons : parfumerie, électroménager, linge de maison, articles de jardinage… Clara craignait, à chaque seconde, de voir surgir les hommes qui les poursuivaient.

– Par ici, dit Baptiste.

Il lui tenait toujours la main, lui fit traverser le rez-de-chaussée. Il avait le projet de sortir par une issue discrète qui débouchait dans une

Où vont aller Baptiste et Clara pour échapper aux tueurs ?

autre partie de la ville. Il se fraya un passage comme il le put, n'hésitant pas à jouer des coudes.

Lorsqu'ils furent enfin à l'air libre, il lâcha la main de sa sœur et la considéra avec fierté :

– Je viens de nous sauver d'une situation très dangereuse !

– Peut-être, dit Clara. Mais je ne suis pas rassurée.

De fait, elle regardait partout autour d'elle. Soudain elle crut voir la Mercedes grise des tueurs. Ils se trouvaient dans une rue encombrée de nombreuses voitures. Certains chauffeurs klaxonnaient, coincés dans un embouteillage.

– Je suis sûr qu'on les a semés, dit Baptiste.

Ils se dirigèrent vers leur domicile. Mais quelle heure était-il ? Leurs parents, à coup sûr, devaient commencer à s'inquiéter. Et si, en montant dans le grenier, ils avaient trouvé Nathalie ? Cette sombre pensée les effleura l'un après l'autre.

Ils pressèrent le pas, longèrent une piscine devant laquelle se tenait une amie de Clara.

– Ohé ! cria l'amie.

– On n'a pas le temps ! cria Baptiste.

Ils s'engagèrent dans la rue qui menait à leur maison. Clara était tendue. Elle avait l'impression que quelqu'un les suivait depuis le grand magasin. Se faisait-elle des idées ? Elle n'osait pas se retourner, marcha un peu plus vite pour rattraper Baptiste qui venait de franchir le seuil de leur jardin.

Ils trouvèrent leurs parents pâles et préoccupés. Étaient-ils allés dans le grenier ? Baptiste et Clara échangèrent un regard angoissé.

– Écoutez-moi, dit soudain Mme Loiseau en se tournant vers eux. Votre grand-mère Solange nous a téléphoné. Elle est tombée dans sa cuisine. Fracture du col du fémur. Elle est à l'hôpital…

28

– C'est grave ? demanda Baptiste.

– Assez, lui répondit son père. Elle a besoin que nous soyons auprès d'elle. Maman et moi devons la rejoindre…

Mme Loiseau claqua des doigts. Elle n'aimait pas quand son mari l'appelait « maman ». En d'autres circonstances, elle l'eût sans doute repris. Mais ce soir-là elle était trop pressée.

– Voilà, poursuivit-elle : vous allez rester seuls une bonne partie de la soirée. Je compte sur vous pour ne pas faire de bêtises. Vous trouverez de quoi dîner dans le réfrigérateur.

– Je vous ai laissé le numéro de téléphone du voisin sur le bureau du salon, ajouta M. Loiseau. Surtout n'hésitez pas à l'appeler, au cas où. Il ne bouge pas de chez lui.

Clara et Baptiste accompagnèrent leurs parents jusqu'à leur voiture. Clara était nerveuse. La perspective de se retrouver seule avec son frère et Nathalie ne l'enchantait pas. D'autant plus qu'elle avait un mauvais pressentiment.

29

Baptiste la surveillait du coin de l'œil. Il avait peur qu'elle parle, qu'elle trahisse le secret qui les liait à la jeune femme. Mais elle garda le silence, et leurs parents s'en allèrent, après d'ultimes recommandations.

Lorsqu'ils furent de retour dans la maison, Baptiste voulut se dépêcher de rejoindre Nathalie. Sa sœur l'en empêcha. Elle avait besoin de lui parler.

– Je t'écoute, dit-il.

– Et si ça tourne mal ? dit-elle. Tu y as pensé ?

– Tu as peur ?

– Non, mais…

Pour se convaincre de son courage et dominer sa propre peur, Baptiste ajouta :

– Je te connais. Tu as toujours peur…

Vexée par les propos de son frère, Clara serra les dents. Puis elle détourna la tête et vit, par une fenêtre, la Mercedes grise des tueurs, qui venait de se garer dans la rue.

Deux hommes en descendirent, regardèrent dans sa direction. L'un d'eux avait une cicatrice brunâtre qui courait le long de son front…

10

Baptiste vit lui aussi les tueurs, blêmit, s'allongea par terre, fit signe à sa sœur d'en faire autant.

– Si les parents pouvaient revenir maintenant ! murmura-t-il.

– Impossible, dit Clara.

Elle s'en voulait de ne pas avoir fermé à clé la grille du jardin et la porte de la cuisine. Mais pouvait-elle imaginer que les choses iraient aussi vite...

Elle se redressa un peu, regarda par la fenêtre, vit que l'homme à la cicatrice avait franchi la grille et marchait lentement vers eux.

– Qu'est-ce qu'on fait ? demanda Baptiste.

Lui d'ordinaire si prompt à réagir était dépassé par les événements et s'en remettait maintenant à sa sœur.

– On bouge, répondit-elle soudain.

Elle se leva d'un bond, courut vers l'étage, gagna l'escalier qui menait au grenier, en gravit quatre à quatre les marches. Son frère la suivit. Elle souleva la trappe, se hissa dans la grande pièce sombre, regarda à gauche et à droite. Baptiste referma la trappe derrière lui.

– C'est nous, fit Clara à mi-voix.

Nathalie sortit de sa cachette, une grotte formée par deux vieux matelas, et Clara lui raconta en trois mots ce qui s'était passé au golf. Baptiste ne disait rien et gardait le menton baissé. Il se sentait coupable : n'était-ce pas de sa faute si les tueurs avaient retrouvé la trace de la jeune femme…

– Tout est de ma faute à moi, soupira Nathalie. Jamais je n'aurais dû vous entraîner dans cette histoire.

Mais il n'était plus temps de se confondre en excuses. Les tueurs venaient de pénétrer dans la maison et commençaient à en fouiller chaque recoin. Baptiste et Clara se tournèrent vers la jeune femme. Elle était désormais leur seule planche de salut.

– Aidez-moi, dit-elle tout à coup en leur montrant un coffre.

Ils firent glisser le meuble au-dessus de la trappe, pour retarder la progression de leurs poursuivants. Le coffre était lourd, très lourd. Mais le serait-il suffisamment pour faire barrage aux tueurs ?

– C'est bien, dit la jeune femme lorsque la trappe fut bloquée.

Baptiste et Clara reprirent leur souffle. Puis ils se dirigèrent vers un amoncellement de vieux jouets et attendirent. Qu'attendaient-ils ? Les pas des tueurs résonnaient de plus en plus fort. Bientôt ils seraient là. Où étaient-ils maintenant ? Baptiste les localisa à l'étage, dans la chambre de sa sœur. Allaient-ils mettre à sac sa collection d'échantillons de parfums ?

– J'ai peur, dit Clara.

Nathalie, dans la pénombre, chercha sa main et la prit dans la sienne. Brusquement une voix retentit :

– Ils sont sûrement là-haut.

Baptiste se serra contre la jeune femme, qui sortit son revolver de sous sa combinaison de cuir. Clara sentit son cœur cogner dans sa poitrine. À présent, les tueurs étaient au pied de l'escalier qui conduisait au grenier.

Aussitôt ils essayèrent de soulever la trappe et le coffre commença à glisser de côté. Nathalie

Qui a l'idée de quitter le grenier par l'œil-de-bœuf ?

31

rejeta en arrière une mèche de ses cheveux roux, tendit son bras armé vers la trappe. Clara regardait fixement le coffre, dérisoire protection face aux coups répétés des hommes qui faisaient trembler toute la maison. Baptiste, lui, se rongeait les ongles. Il s'imaginait déjà prisonnier, attaché à un radiateur. Il détourna la tête, vit l'œil-de-bœuf. Et son visage s'illumina. L'œil-de-bœuf… C'était par là qu'ils pouvaient fuir. Pourquoi ne pas y avoir pensé plus tôt… Il se tourna vers la jeune femme, lui montra la petite fenêtre ronde.

– D'accord, dit-elle.

Clara se hissa la première à travers l'ouverture. Baptiste l'imita et la rejoignit vite sur le toit du garage. Vint le tour de Nathalie. Elle eut quelques difficultés à franchir l'étroit passage, se contorsionna et se dégagea enfin au moment où la trappe du grenier se soulevait.

Tous trois se laissèrent glisser le long d'un tuyau servant à l'écoulement des eaux et arrivèrent dans une ruelle située derrière la maison des Loiseau. Mais l'un des tueurs, resté en retrait, les avait repérés et appela ses complices à la rescousse.

Nathalie poussa Baptiste et Clara dans un buisson. Elle ne savait pas quelle décision prendre, consciente que leur cachette était précaire, mais que la quitter les exposerait à un très grand danger.

– Ils arrivent, murmura Clara.

– Je vais les attirer loin d'ici, chuchota la jeune femme à nouveau résolue. Dès que je serai partie, allez chez M. Sorge et donnez-lui l'enveloppe.

Elle se tut car un homme passait à une dizaine de mètres d'elle. Puis elle reprit :

– Vous savez où il habite ?

Baptiste fit oui de la tête. Et avant que Clara ne puisse ouvrir la bouche, Nathalie s'élança vers la droite et disparut en courant.

Baptiste se mordilla le bout des doigts. Clara se boucha les oreilles. Elle avait peur d'entendre un coup de feu.

11

La nuit venait de tomber et le silence régnait quand Baptiste et Clara sortirent du buisson. Ils longèrent le garage de leur père, virent que la Mercedes grise n'était plus garée devant leur maison.

Ils pensèrent à la jeune femme. Les tueurs l'avaient-ils capturée ?

– Prévenons la police, dit Clara. Ils ont peut-être tué Nathalie.

– Ils ne la tueront pas tant qu'ils n'auront pas la formule, répliqua Baptiste.

Il avait retrouvé sa belle assurance, et il marchait à grandes enjambées vers la station d'autobus. Sans doute croyait-il qu'entrer chez M. Sorge serait un jeu d'enfant. Sa sœur n'était pas de cet avis. Elle se planta devant lui, voulut encore reprendre l'enveloppe, se heurta à un refus catégorique. Alors, elle menaça de rebrousser chemin et de téléphoner au voisin pour qu'il leur vienne en aide.

– Fais-le si tu veux, dit son frère. Moi je continue seul.

Elle marmonna, crut soudain voir deux garçons de sa classe devant la piscine. Et pourquoi n'irait-elle pas chercher du renfort ? S'ils étaient dix ou davantage, personne n'oserait leur faire de mal. Elle serait plus rassurée. Seulement Baptiste était maintenant trop loin pour qu'elle lui parle de son plan. D'ailleurs était-ce un plan sérieux ? Car pour approcher M. Sorge, mieux valait ne pas être nombreux…

Clara courut pour rattraper son frère et le rejoignit comme il montait dans un autobus. Elle sortit deux tickets de sa poche, les tendit au chauffeur. Le véhicule démarra, obliqua dans une large avenue, passa devant l'école de Baptiste, puis devant le collège de Clara. Il traversa ensuite un quartier résidentiel avant de franchir un rond-point et de s'enfoncer dans la nuit noire.

Bientôt l'autobus arriva au pied d'une petite colline qui dominait la ville. Une route serpentait au flanc de cette colline et menait à la seule maison construite en ces lieux : celle de M. Sorge.

– Terminus, dit le chauffeur.

Clara et Baptiste descendirent et s'engagèrent sur la route recouverte de gravier.

Ils n'avaient pas parcouru vingt mètres qu'ils entendirent le moteur d'une voiture, derrière eux. Ils se poussèrent de côté, se regardèrent. Et si M. Sorge était au volant ? Mais la voiture les dépassa si rapidement qu'ils n'eurent pas le temps d'en distinguer les occupants.

Beaucoup d'autres voitures suivirent, à vive allure, projetant des graviers dans leur sillage. Baptiste et Clara préférèrent marcher dans le sous-bois qui bordait la route, par crainte de tomber nez à nez avec la Mercedes grise.

Cependant, toute cette agitation les intriguait. Que se passait-il, là-haut ?

La réponse leur fut donnée peu après, lorsqu'ils arrivèrent en vue des grilles du parc qui entourait la maison de M. Sorge : l'industriel donnait une grande réception. Ses hôtes devaient montrer leur invitation à des gardiens avant d'aller garer leur automobile dans un endroit aménagé à cet effet.

– On ne pourra jamais entrer, dit Clara.

Baptiste haussa les épaules et entraîna sa sœur

à travers le sous-bois. Il avait comme projet de longer le mur d'enceinte de la propriété jusqu'à ce qu'un trou, dans ce mur, leur permette d'entrer discrètement.

– Où vas-tu ? lui demanda Clara.

Il lui recommanda de ne faire aucun bruit et de bien regarder où elle mettait les pieds. Puis, une fois qu'ils furent assez loin de la grande grille, ils se rapprochèrent du mur. Le clair de lune facilitait leur marche.

– Je cherche un trou, murmura Baptiste.

Clara chercha aussi, enjamba des orties, écarta des branches souples qui barraient le chemin.

La chance leur sourit quelques instants plus tard. Un monticule de terre leur permit de se hisser, sans trop de difficultés, sur le sommet du mur. Alors ils découvrirent la maison de M. Sorge, à deux cents mètres environ sur leur droite. Toutes ses fenêtres étaient illuminées. Le parc, lui, était éclairé par des torches plantées dans l'herbe. Çà et là, des statues, des pièces d'eau, des arbres, des bosquets. Une musique s'échappait de la propriété. Sur le perron, des invités allaient et venaient.

– On saute ? fit Baptiste.

Clara ferma les yeux. Elle avait peur du vide. Et s'il y avait des chiens de garde ?

– On saute ? répéta Baptiste en se penchant vers le sol pour voir où ils tomberaient.

Lui non plus, à vrai dire, n'était pas à son aise. Mais l'idée de renoncer à sa mission si près du but lui redonna courage. Il prit la main de sa sœur, compta lentement jusqu'à trois. Puis, dans le même mouvement, ils sautèrent dans le parc.

12

Baptiste se releva, se tourna vers sa sœur. Elle n'avait rien de cassé.

Ils s'approchèrent d'un bosquet et étudièrent le chemin qui les séparait du perron. Plusieurs gros arbres leur permettraient de se cacher et de progresser vers la maison par petites étapes, en s'assurant que les tueurs n'étaient pas dans les environs.

Le premier arbre n'était qu'à une dizaine de mètres. Ils s'élancèrent et l'atteignirent, puis gagnèrent le second et le troisième arbre. Maintenant la musique leur parvenait plus nettement, et ils distinguaient des silhouettes qui déambulaient dans le parc.

Soudain Clara sentit une main sur son épaule. Elle se retourna, vit une tête de squelette qui émit un grognement sourd. C'était affreux, si affreux que les jambes de Clara se dérobèrent sous elle. Baptiste, à ses côtés, n'était guère plus vaillant ; il claquait des dents. Le squelette poussa un grand cri avant de s'éloigner en riant. Clara resta de longues secondes immobile, les bras sur la tête, face contre terre. Elle voulait s'enfoncer dans l'herbe et disparaître à tout jamais de cet endroit où se promenaient des fantômes et des morts-vivants. Mais elle sentit à nouveau une main qui l'effleurait. Ses muscles devinrent aussi durs que du bois. Elle allait mourir, à coup sûr, si telle était la volonté du squelette.

– Clara, dit Baptiste, c'est moi. Regarde…

Il dut s'y reprendre à trois fois pour qu'elle se détende un peu et accepte de se redresser.

– Regarde, répéta-t-il en lui montrant un groupe de gens qui discutaient près d'une pièce d'eau.

L'un d'eux portait une combinaison d'astronaute, un autre était vêtu en Arlequin, un autre encore, qui buvait du champagne, s'était déguisé en roi de France. Tous trois entouraient une femme dont la robe et la coiffure évoquaient celles de Blanche-Neige.

– C'est un bal masqué, reprit Baptiste.

Clara, soulagée, se releva.

Ils continuèrent de progresser d'arbre en arbre, jusqu'à pouvoir atteindre le perron de M. Sorge

Sous quel déguisement se cache le tueur ?

34

en vingt pas. Ils s'étaient habitués aux corsaires, aux clowns, aux saltimbanques. Mais Clara remarqua bientôt un homme portant un masque de loup. Il semblait aux aguets. Elle se souvint du récit de Nathalie, tira sur la manche de son frère, lui montra l'étrange invité.

– C'est un des tueurs, dit Baptiste.

L'homme se tourna vers eux. Aussitôt ils s'élancèrent vers un soupirail situé au pied du mur de la maison. Ils pénétrèrent dans une cave, coururent le long de casiers remplis de bouteilles de vin, traversèrent un couloir, montèrent des marches en pierre, arrivèrent en vue de la salle où se déroulait le bal masqué.

Ils allaient enfin pouvoir remettre l'enveloppe à M. Sorge. Mais sous quel masque se cachait-il ? Une femme déguisée en sorcière leur ricana dans les oreilles. Ils se blottirent l'un contre l'autre, continuèrent d'avancer, furent bousculés par un serveur en veste blanche, chargé d'un plateau alourdi par des coupes de champagne.

Soudain l'homme-loup se planta devant eux. Ils se précipitèrent vers un large escalier, le gravirent au pas de course, en se tenant par la main. Au bout du couloir de l'étage, ils virent un ramoneur, le visage barbouillé de suie, une casquette sur la tête. Était-ce le chef des assassins ? Baptiste et Clara se réfugièrent dans une pièce, s'accroupirent derrière une commode. Ils étaient paniqués.

Le tueur ouvrit la porte et se mit à les chercher. Il allait les trouver. Il se rapprochait. Il faisait du bruit. On entendait son souffle rauque. Baptiste regarda sa sœur, prit une grande inspiration, bondit vers une table, saisit un coupe-papier, l'agita devant l'homme-loup qui se jeta sur lui. Il l'évita de justesse et renversa une chaise pour protéger sa fuite. Puis d'un bond, il parvint à gagner le couloir et tomba nez à nez avec un revolver. Il s'arrêta net, leva les yeux. Le ramoneur, qui tenait l'arme, esquissa un sourire et enleva sa casquette, libérant de longs cheveux roux.

– Nathalie ! dit Baptiste en prenant la main de la jeune femme.

Il eût aimé rester longtemps ainsi, mais Nathalie s'écarta de lui et demanda où était sa sœur.

Clara ferma les yeux. Le tueur venait de la trouver et lui intima l'ordre de sortir de sa cachette. Elle se leva en tremblant, sentit qu'il la poussait, trébucha contre une chaise, rouvrit les yeux. Baptiste était maintenant de retour dans la pièce avec Nathalie armée de son revolver braqué sur l'homme-loup.

Elle eut envie de sauter de joie, voulut vite rejoindre son frère. Mais une main l'en empêcha. Elle dut reculer d'un pas et vit un couteau se rapprocher de son visage. Le tueur qui la menaçait ôta son masque. C'était l'homme à la cicatrice !

Pendant un bref instant, chacun s'observa. Clara était au bord des larmes. Si la jeune femme tirait, le couteau la tuerait… le couteau dont la lame pesait contre sa joue.

– Sois raisonnable, dit le truand à Nathalie. La vie de la gosse dépend de toi.

Du rez-de-chaussée leur parvenaient des éclats de voix, et le son étouffé d'une musique entraînante. En bas, des gens dansaient, riaient, buvaient, mangeaient. Et M. Sorge, au milieu d'eux, ne se doutait pas du drame qui se déroulait dans sa maison.

– O.K., dit Nathalie en jetant son revolver au pied de l'homme à la cicatrice.

Il le ramassa, le pointa sur elle.
– Où est la formule ? reprit-il.
– Je l'ai cachée, répondit-elle.
– Où ça ?
– Près du bateau de mon père…

Baptiste leva les yeux vers la jeune femme. Il avait très envie de dire la vérité : la formule, il l'avait sur lui. Un geste suffisait à les libérer tous les trois. Mais au regard de Nathalie, il comprit qu'il devait se taire.

– Écoutez-moi, fit le tueur à la cicatrice : nous allons sortir de cette maison le plus discrètement possible. Interdiction de parler à qui que ce soit et de vous éloigner de moi. Sinon…

Il fit mine d'enfoncer son couteau dans le dos de Clara et rangea le revolver dans sa poche. Puis il remit son masque de loup, Nathalie remit sa casquette, et tous sortirent de la pièce en file indienne.

13

Clara et l'homme à la cicatrice fermaient la marche. Ils descendirent le large escalier au pied duquel la fête battait son plein. Les invités dansaient sur une sarabande endiablée.

36

Malgré eux, Nathalie et Baptiste furent entraînés dans une ronde par un groupe de personnes en costume Louis XV. Ils tentèrent de se dégager, se retrouvèrent dans la salle de bal, près d'un gigantesque buffet.

Clara les perdit de vue. L'homme-loup allait-il mettre sa menace à exécution ?

– Avance, dit-il entre ses dents.

Il l'obligea à fendre la foule des danseurs, bousculant ceux qui le gênaient. Elle reçut des coups de coudes et des coups de genoux. Tout l'effrayait maintenant : les masques, la musique et les rires.

– Où sont-ils ? marmonna le tueur.

Il était très nerveux.

Baptiste aussi était nerveux. Il ne pensait qu'à

sa sœur. S'il lui arrivait malheur, jamais il ne se le pardonnerait. Il deviendrait fou de chagrin, et quand il serait plus grand, il la vengerait. Il en fit le serment, mâchoires crispées et poings serrés.

– Je les vois, dit enfin Nathalie.

Le tueur venait également de les apercevoir, et d'un signe il leur ordonna de ne plus bouger.

Soudain la musique cessa. Vêtu en prince arabe, un homme demanda le silence. Puis d'une voix forte et claire, il remercia ses hôtes de l'honorer de leur présence. C'était M. Sorge. Baptiste se trouvait près de lui. Dire qu'il n'avait qu'un geste à faire pour lui donner l'enveloppe…

Un cercle se forma autour du maître de maison. Il parla d'un projet qu'il comptait bien réaliser : il souhaitait envoyer des médicaments en Afrique, pour enrayer la progression de certaines maladies.

Clara ne l'écoutait pas. Elle regardait son frère qui se tenait derrière M. Sorge. L'homme à la cicatrice avait posé une main sur son épaule… Si elle osait, elle le mordrait. Elle n'avait qu'à ouvrir la bouche et la refermer d'un coup sec.

Mais il faudrait agir très vite. En serait-elle capable ?

– Encore un mot, dit M. Sorge à l'adresse de ses invités : j'aimerais évoquer brièvement la mémoire du professeur Daume. Vous connaissez tous ses travaux sur la substance antitabac. Malheureusement, le professeur a été tué dans de mystérieuses conditions, et la formule qu'il avait mise au point a disparu. Il devait me la remettre. S'il avait pu le faire, elle serait aujourd'hui à l'étude dans l'un de mes laboratoires. C'est donc une perte inestimable et j'engage les chercheurs – je sais qu'il s'en trouve parmi vous – à travailler dès demain sur cette substance antitabac. Mais qu'ils sachent par avance qu'il leur faudra beaucoup de patience, de ténacité et de chance pour parvenir au résultat du regretté professeur Daume. Pourront-ils même y parvenir ? En attendant, mes amis, j'ai fini. La bonne humeur doit reprendre ses droits. Amusez-vous, je vous en prie.

37

Il y eut des applaudissements, et Clara sentit que le couteau s'éloignait un peu de son dos. C'était le moment d'agir. Elle mordit le tueur

Qui l'homme au masque de loup va-t-il essayer de tuer ?

de toutes ses forces, courut droit devant elle, heurta un ventre, redressa la tête : elle était dans les bras de M. Sorge !

– J'ai la formule ! hurla Baptiste en sortant l'enveloppe de sous son pull-over.

Une rumeur s'éleva dans la salle. Puis le silence régna et tout le monde s'écarta du tueur. Il braquait l'arme de Nathalie sur M. Sorge.

– Je veux la formule ! dit-il. Surtout que personne ne bouge…

Baptiste tendit l'enveloppe au maître de maison.

– Donnez-moi ça, reprit l'homme, sinon je fais un carnage.

38

Alors Nathalie se mit à marcher vers le tueur. Il se raidit. Elle marchait très lentement, son visage était impassible. Baptiste voulut la retenir mais M. Sorge l'en empêcha.

39

– Arrête-toi ! lui dit l'homme-loup. Arrête-toi ou je tire !

– Vous avez tué mon père, dit-elle. C'est vous, je vous reconnais : la voix, le masque… C'est vous.

Elle avançait toujours. Il appuya sur la gâchette. Mais de son revolver ne sortit qu'un petit bruit. L'arme n'était pas chargée.

Le tueur, désemparé, voulut reprendre son couteau. À cet instant, deux hommes se jetèrent sur lui. D'un bond, il leur échappa, mais les mains de Nathalie s'accrochèrent à l'une de ses jambes. Il s'étala de tout son long. Il voyait encore des étoiles quand elle lui arracha son masque.

14

Des journalistes s'étaient massés devant la maison des Loiseau pour interroger Nathalie, Baptiste et Clara. Leur présence irrita beaucoup M. Loiseau qui ne voulait pas que la presse parle de ses enfants. Il finit par sortir dans la rue pour faire une courte déclaration :

– Mesdames et messieurs : je suis heureux de vous annoncer que la grand-mère de mes enfants va mieux. Voilà. Vous ne saurez rien d'autre. Maintenant, si vous êtes toujours là dans cinq minutes, j'appelle la police…

Heureux de sa plaisanterie, il tourna les talons et rentra chez lui tandis que les journalistes bougonnaient.

Baptiste et Clara regrettèrent de ne pas parler en public de leurs exploits, mais leur père resta intraitable sur ce point.

– N'importe comment je dirai tout à mes copains, dit Baptiste.

– Moi aussi, dit Clara.

Dans un angle du salon, Nathalie conversait avec Mme Loiseau. Elle lui avait rapporté son sac à main qui trônait à présent sur un fauteuil.

Quelques instants plus tard, la famille Loiseau était réunie dans la salle à manger, autour de Nathalie Daume. Au menu : gigot rôti et frites.

– J'ai une faim de loup, dit Baptiste.

Clara frissonna. Le mot « loup » l'effrayait et lui rappelait l'homme à la cicatrice. Pouvait-on être sûr qu'il ne sortirait jamais de prison ?

– Sois sans crainte, dit M. Loiseau. Il va être condamné à une très lourde peine. Et ses complices aussi ont été arrêtés.

Clara hocha la tête, commença à manger. En regardant par l'une des fenêtres de la pièce, sa mère vit que les journalistes étaient partis.

Nathalie, entre deux bouchées, raconta comment son père avait mis au point sa formule, après des années de recherches, d'illusions et de désillusions. Aujourd'hui, elle était fière d'avoir pu respecter sa volonté de transmettre ses travaux à M. Sorge.

– N'empêche qu'à cause de vous, mes enfants ont couru de grands dangers, dit M. Loiseau, sourcils froncés.

Nathalie ne sut que répondre et piqua du nez dans son assiette. Baptiste prit aussitôt sa défense : la jeune femme était poursuivie depuis plusieurs jours par les tueurs. Elle ne savait plus où se cacher, comment se défendre, à qui se confier. Elle était épuisée. Sa vie ne tenait plus qu'à un fil.

– Au fond, dit Clara, on l'a sauvée.

M. Loiseau esquissa un sourire et le repas continua dans une ambiance détendue. Au dessert, Nathalie évoqua ses projets : elle allait travailler avec M. Sorge, l'aider à expédier des médicaments au quatre coins du monde. La semaine prochaine, elle partirait pour l'Afrique.

– Je pars avec toi ! cria Baptiste.

– Et l'école ? protesta sa mère.

Il haussa les épaules. Il rêvait déjà de voir des lions, des léopards, des crocodiles.

Puis vint le moment de se quitter. Nathalie prit congé de M. et Mme Loiseau et les remercia de leur accueil. Baptiste et Clara l'attendaient déjà dans la rue, près de sa moto. La jeune femme les rejoignit. Elle était très émue. Eux ne l'étaient pas moins. Ils avaient la gorge serrée.

– On se reverra ? demanda Clara.

– Bien sûr ! répondit Nathalie.

Et elle la félicita pour son courage.

– J'ai eu très peur, avoua Clara.

– Mais tu as su ne pas le montrer. Ça c'est très fort…

Elles s'embrassèrent, et Clara essuya discrètement une larme qui roulait sur sa joue.

La jeune femme s'approcha ensuite de Baptiste, le décoiffa d'un geste tendre.

– Merci à toi, dit-elle. Merci pour tout.

Il bredouilla une phrase incompréhensible, sentit que les lèvres de Nathalie se posaient sur son front. Et son visage devint rouge vif.

Deux heures plus tard, Baptiste était dans sa chambre. Il écoutait un CD des *Up to day*. Dans la pièce voisine, Clara écoutait les *Scarfaces* dont les voix nasillardes étaient odieuses pour les oreilles de son frère.

40

Il augmenta le volume de sa platine-laser. Sa sœur en fit autant. Et la guerre du bruit recommença entre eux.

– Silence ! hurla M. Loiseau depuis le rez-de-chaussée.

L'un et l'autre baissèrent le volume de leur chaîne hi-fi. Mais la guerre n'était pas finie pour autant. Baptiste se mit à tambouriner sur la cloison qui séparait sa chambre de celle de sa sœur.

La riposte ne se fit pas attendre : Clara se planta bientôt devant lui et le traita de morveux.

– En plus t'es amoureux de Nathalie, ajouta-t-elle.

– Moi ?

– Parfaitement ! J'ai vu ta tête quand elle t'a embrassé…

– Quelle tête j'avais ?

– Une tête de cloche.

Il s'approcha d'elle, furieux, et la menaça d'un coup de poing sur le nez si elle ouvrait encore la bouche.

– Il n'y a que la vérité qui blesse, reprit-elle en regagnant sa chambre dont elle prit soin de fermer la porte à clé.

Clara s'allongea sur son lit, ferma les yeux. Elle espérait que Baptiste la laisserait tranquille. N'avait-elle pas le droit de se reposer après les événements qu'elle venait de connaître ?

Bien malgré elle, elle repensa à l'homme-loup. Se pouvait-il réellement qu'il finisse ses jours en prison ? Et s'il réussissait à fuir ? Nul doute qu'il voudrait se venger. Et sa vengeance serait terrible. Sur qui se porterait-elle ? D'abord sur elle, Clara. N'était-ce pas par sa faute qu'il avait perdu la partie ? Si elle ne l'avait pas mordu…

Soudain Clara entendit un petit bruit étrange, comme si quelqu'un frappait contre un carreau. Elle ouvrit les yeux, redressa la tête et vit, par sa fenêtre, le masque de l'homme-loup. Elle se mit à trembler. Le masque, lui, semblait sourire.

Elle sortit de sa chambre en courant, dévala l'escalier qui menait au salon où se trouvait son père.

– Il est revenu, ânonna-t-elle, il est revenu… 41

– Qui est revenu ? demanda M. Loiseau.

– Le tueur est dans le jardin. Il est revenu. Je viens de le voir…

Son père, sourcils froncés, ouvrit doucement la porte du salon, regarda dans le jardin, se retourna vers sa fille, lui fit signe d'approcher sans bruit. Elle s'y refusa. Mais il insista tant qu'elle finit par le rejoindre.

Alors elle vit Baptiste, sous la fenêtre de sa chambre. Il tenait une grande branche au bout de laquelle il avait accroché le masque de loup du tueur.

– Tête d'imbécile ! cria Clara.

– Tête de sorcière ! cria Baptiste.

Une bourrasque soudaine arracha le masque de la branche et l'emporta dans le ciel qui commençait à s'obscurcir.

Baptiste et Clara le suivirent des yeux jusqu'à ce qu'il disparaisse au-delà du mur du jardin. Puis ils se regardèrent et éclatèrent de rire.

1
André Breton
Écrivain français (1896-1966).

2
un **rivet**
Courte tige de métal qui sert à assembler deux éléments plats.

3
localiser
Situer à un endroit précis.

4
dissiper
Faire disparaître.

5
prestement
Avec rapidité.

6
un moment **fatidique**
Un moment très important.

7
être à la merci de
Dépendre entièrement de quelqu'un.

8
des **soubresauts**
De petits mouvements brusques et involontaires.

9
une **salamandre**

10
pas un **traître mot**
Pas un seul mot.
Elle ne comprenait rien.

11
désemparée
Clara ne sait plus
que faire.

12
faire irruption
Entrer d'une façon
soudaine.

13
une **substance**
inoffensive
Un produit sans danger.

14
inhaler
Respirer, aspirer par
le nez.

15
un **malfrat**
Un homme qui agit mal,
un malfaiteur.

16
une voix **chancelante**
Une voix faible.

17
un **laboratoire**
pharmaceutique
Endroit où on fabrique
des médicaments.

18
égaré
Perdu.

19
traumatisée
Mme Loiseau est très inquiète car elle a eu très peur pour son fils.

20
en catimini
En cachette.

21
un **caddie**
Au golf, c'est la personne qui porte le matériel du joueur.

22
un **club**

23
esquisser
Commencer à faire.

24
abasourdi
Baptiste est perturbé après sa chute.

25
l'**orée** du bois
La bordure du bois.

26
un **loup-garou**
Personnage de légende, qui se transforme la nuit en loup pour commettre des crimes.

27
une **voix blanche**
Une voix changée après une vive émotion.

28
le **col du fémur**
Partie la plus mince de l'os de la cuisse.

29
un **pressentiment**
Le sentiment qu'un événement va se produire.

30
une **planche de salut**
Une dernière chance.

31
une protection **dérisoire**
Une protection insuffisante et ridicule.

32
précaire
Qui n'est pas sûr.

33
résolu
Décidé, déterminé.

34
un **saltimbanque**
Jongleur ou acrobate qu'on peut voir dans les rues.

35
un **ramoneur**
Personne qui nettoie les cheminées.

36
une **sarabande**
Danse vive et gaie.

37
la **ténacité**
Caractère de ceux qui ont de la volonté, qui tiennent à leurs idées.

38
un **carnage**
Un massacre.

39
un visage **impassible**
Un visage calme, qui ne montre aucune émotion.

40
parler d'une **voix nasillarde**
Parler en faisant passer l'air par le nez.

41
ânonner
Dire quelque chose avec hésitation.

❶ Voleurs de chiens
Fa, le caniche de Mistouflette, a disparu mystérieusement. Elle mène l'enquête avec ses copains.

❷ Les malheurs d'un pâtissier
Pauvre pâtissier ! Que peut-il faire pour se débarrasser d'une souris qui mange ses gâteaux ?

❸ Karim et l'oiseau blanc
À peine Karim aperçoit-il Yasmina qu'elle disparaît ! Il veut la retrouver, mais il y a tant d'obstacles à vaincre !

❹ Timothée et le dragon chinois
Timothée s'est perdu sur la grande Muraille de Chine. Tout à coup, une ombre inquiétante s'approche de lui…

❺ Les fantômes de Mamie Ratus
Ratus a peur des fantômes. Et il y en a beaucoup, chez sa grand-mère !

❻ Le facteur tête en l'air
Alexandre est un curieux facteur : il oublie de distribuer le courrier pour battre des records de vitesse…

❼ La plante mystérieuse
Tout meurt dans la rivière ! Mistouflette et ses amis se lancent dans une enquête qui les conduit à une plante mystérieuse…

❽ La classe de Ratus part en voyage
Pauvre maîtresse ! Si Victor et Ratus n'avaient pas été du voyage, tout se serait bien passé…

❾ Romain graine de champion
Romain aime le football. Mais il est seul… Le destin lui envoie un ami de son âge, passionné de foot comme lui.

⓫ Le trésor des trois marchands
Il était une fois en Orient, trois marchands qui cherchaient un trésor. Voudront-ils le partager ?

❿ Ralette au bord de la mer
Pendant les vacances, Ralette sera-t-elle élue Miss Plage ? Raldo sera-t-il élu Monsieur Muscle ?

⓬ Ratus en safari
Au pays des lions, Ratus photographie les animaux sauvages. Mais les hyènes ricanent… et un dangereux braconnier guette…

⓭ Timothée découvre l'Inde
à l'ombre du Palais des vents, Timothée cherche à sauver son nouvel ami, Rama le jeune Indien.

14 La classe de 6e et la tribu des Cro-Magnon

Quand la classe de 6e part en voyage, tout peut arriver : se perdre au fond d'une grotte, rencontrer d'étranges inconnus…

15 Une nuit avec les dinosaures

Deux copains enquêtent au Muséum, au milieu des dinosaures. Brr… Ils n'en mènent pas large !

16 Ratus et l'étrange maîtresse

La maîtresse a un drôle de nom : Cunégonde Kikiche ! Et en plus, elle n'aime pas Ratus. Mais le rat vert ne se laisse pas faire…

17 La classe de 6e tourne un film

Quand la classe de 6e fait du cinéma, tout peut arriver pendant le tournage : fantômes, vampire, trésor, histoire d'amour…

18 Fluthdezut un diable parmi nous

Fluthdezut est envoyé sur terre pour accomplir une terrible mission. Va-t-il réussir à semer la pagaille parmi les hommes ?

19 Les pièges de la cité fantôme

Tout paraît désert sur cette planète. Et pourtant ! Achille, Thomas et Caroline vont tomber dans des pièges terribles…

20 Les naufragés du bâtiment B

Dans son bain, Jules a peur. Un flacon apparaît à la surface de l'eau. À l'intérieur : un S.O.S. !

21 L'extraordinaire voyage d'Ulysse

Ulysse, guerrier grec, va-t-il réussir à revenir dans son pays ? Sur la mer, il affronte tempêtes, pièges et monstres…

22 L'homme au masque de loup

Que contient cette mystérieuse enveloppe qui va entraîner Baptiste et Clara à se jeter dans la gueule du loup ?

23 Rançon pour un robot

Quand on est un robot, il ne fait pas bon se poser sur la planète Xyraste. Achille va vite s'en rendre compte…

Maquette Jean Yves Grall, mise en page Atelier JMH
Imprimé en France par Pollina, 85400 Luçon - n° 76479-A
Dépôt légal : 10599 - janvier 1999